conhece
Violetas na Janela

Dados Internacionais de Catalogação na Publicação (CIP)
(Câmara Brasileira do Livro, SP, Brasil)

Sousa, Mauricio de
  Turma da Mônica Jovem conhece : violetas na janela / Mauricio de Sousa, Lu Hi Rivas, Ala Mitchell. -- Catanduva, SP : Petit Editora, 2019.
  "Baseado na obra de Vera Lúcia Marinzeck de Carvalho"

  ISBN 978-85-7253-349-2

  1. Espiritismo - Literatura juvenil 2. Romance espírita I. Rivas, Lu Hi. II. Mitchell, Ala. III. Título.

19-28625   CDD-028.5

Índices para catálogo sistemático:

1. Espiritismo : Literatura juvenil 028.5

Cibele Maria Dias - Bibliotecária - CRB-8/9427

Equipe Boa Nova

Diretor Presidente:
Francisco do Espirito Santo Neto

Diretor Editorial e Comercial:
Ronaldo A. Sperdutti

Diretor Executivo e Doutrinário:
Cleber Galhardi

Editora Assistente:
Juliana Mollinari

Produção Editorial:
Ana Maria Rael Gambarini

Coordenadora de Vendas:
Sueli Fuciji

2019
Direitos de publicação desta edição no Brasil reservados para Instituto Beneficente Boa Nova entidade coligada à Sociedade Espírita Boa Nova
Av. Porto Ferreira, 1031 | Parque Iracema
Catanduva/SP | 15809-020 | Tel. (17) 3531.4444
www.boanova.net

O produto da venda desta obra é destinado à manutenção das atividades assistenciais da Sociedade Espírita Boa Nova, de Catanduva, SP.

3-10-23-3.000-18.000

Estúdios Mauricio de Sousa apresentam

Presidente: Mauricio de Sousa

Diretoria: Alice Keico Takeda, Mauro Takeda e Sousa, Mônica S. e Sousa

Mauricio de Sousa é membro da Academia Paulista de Letras (APL)

Diretora Executiva
Alice Keico Takeda

Direção de Arte
Wagner Bonilla

Diretor de Licenciamento
Rodrigo Paiva

Coordenadora Comercial
Tatiane Comlosi

Analista Comercial
Alexandra Paulista

Editor
Sidney Gusman

Adaptação de Textos e Layout
Robson Barreto de Lacerda

Revisão
Daniela Gomes, Ivana Mello

Editor de Arte
Mauro Souza

Coordenação de Arte
Irene Dellega, Maria A. Rabello

Produtora Editorial Jr.
Regiane Moreira

Desenho e Arte-final
Lino Paes

Cor
Giba Valadares, Kaio Bruder, Marcelo Conquista, Mauro Souza

Designer Gráfico e Diagramação
Mariangela Saraiva Ferradás

Supervisão de Conteúdo
Marina T. e Sousa Cameron

Supervisão Geral
Mauricio de Sousa

EDITORA

Condomínio E-Business Park - Rua Werner Von Siemens, 111 - Prédio 19 - Espaço 0
Lapa de Baixo – São Paulo/SP
CEP: 05069-010 - TEL.: +55 11 3613-5000

© 2019 Mauricio de Sousa e Mauricio de Sousa Editora Ltda. Todos os direitos reservados. **www.turmadamonica.com.br**

conhece
Violetas na Janela

Mauricio de Sousa
Luis Hu Rivas e Ala Mitchell

Baseado na obra de Vera Lúcia
Marinzeck de Carvalho

SUMÁRIO

O despertar 10

Saudade 16

Primeiros conhecimentos 22

Um belo mundo 28

A colônia espiritual 32

Violetas na janela 38

Namoro 44

Boa leitura 50

Vamos voar 56

Voltando a casa 62

Psicografia 68

Visita ao cemitério 74

Jovens no além 80

Bons pensamentos 86

A escola espiritual 92

"Mas o que é a morte, se não uma nova etapa da vida?"

Será que existe vida além desta vida? Esta pergunta seria respondida se alguém pudesse voltar para contar a história, né? Opa! E que tal se esse alguém fosse uma jovem?

O livro *Turma da Mônica Jovem conhece Violetas na Janela* mostra a história de uma garota, Patrícia, que conta sua recém-chegada ao "outro mundo", registrada num livro *best-seller* chamado *Violetas na Janela*.

Compartilhando aventuras, encontros e reencontros repletos de curiosidades, agora adolescentes, a turma do Limoeiro reencontra André, o primo do Cascão, e conhece esta obra que traz belas reflexões sobre como encarar este momento, lembrando-nos, de forma divertida, de que devemos valorizar ainda mais a nossa vida.

Muita luz e boa leitura.

Os Autores

O sol estava alto na manhã, quando Mônica decidiu quebrar o silêncio e, diante de toda a turma reunida na casa do Cascão, falou:

– Vocês têm certeza de que ele vem?

– Relaxa, Mô! – respondeu Cascão – Ele só está um pouco atrasado. Sem estresse.

– Nem acredito. Já faz muitos anos, desde o nosso último encontro – recordou Magali.

– É... o tempo voa – concordou Cascão.

– Para de mexer nesse celular, Cascão – falou Magali.

Mônica, então, se aproximou da janela da sala e gritou, toda animada:

– Ele chegou! Finalmente!

André, o primo do Cascão, entrou em casa e foi recebido por toda a turma com muita alegria.

– Crianças, desculpem pelo atraso... Perdão, **jovens**! – falou André, surpreso ao revê-los – Como vocês cresceram!

– De boa, primo – tranquilizou Cascão.

– A Mô pensou que você não viria! – dedurou Cebola.

– Para de ser fofoqueiro, Cebolinha! – gritou Mônica.

– Cebola! Agora sou Ce-bo-la! – retrucou.

– Uau! Vejo que até o problema de desvio fonológico melhorou – observou André.

– Pode crer! Agora, ele só troca letras quando fica nervoso – informou Cascão.

– Até parece que fui só eu que mudei, né? A Mônica agora é toda *fitness* e a Magá tem uma alimentação toda balanceada – disse Cebola.

– E o mais incrível: o Cascão também toma banho! – comentou Mônica, sorrindo – Bem, pelo menos, é o que dizem.

– Ué! Só faltava eu ter que filmar meu banho pra provar! É ruim, hein? – respondeu Cascão.

– Quantas mudanças, turma! E pra melhor! Parabéns! – disse André, que também ficou muito à vontade para contar suas novidades.

– Ei, primo! Tô vendo que você trouxe algo, como sempre fazia quando a gente se encontrava! – falou Cascão, olhando as mãos de André.

– Pois é, Cascão. Pensei em trazer este novo livro para reler durante a viagem! – confirmou André.

– É um guia turístico? – perguntou Magali.

– Sim... Bem, não exatamente. – disse André.

– É ou não é? – perguntou Mônica, curiosa.

– Na verdade, turma, é, sim, um livro de viagem, mas para um outro mundo, uma outra dimensão, o mundo espiritual – respondeu André.

– Véiii... fala sério! – exclamou Cascão, confuso.

André explicou pra turma que tratava-se de um livro de uma garota de uns 19 anos que desencarnou, mas continuou viva em outro mundo. Ela fez uma viagem ao mundo espiritual, e algumas de suas aventuras no além foram contadas nessa obra.

– *Calamba*! – exclamou Cebola.

– Ih, alguém ficou nervoso. Calma, que não é história do Penadinho, careca! – brincou Cascão.

– Muuuito *engla*... engraçado, Cascão... – retrucou Cebola, já se corrigindo.

– Nossa! Morreu muito jovem! – lamentou Mônica.

– E qual era o nome da garota? – perguntou Cascão.

– Patrícia – respondeu André. – Ela morreu devido a um aneurisma cerebral.

– E como ela era? – perguntou Magali.

– Era uma jovem de olhos pequenos e azuis, cabelos loiros e bons sentimentos – respondeu André.

– E qual o nome desse livro, André? – perguntou Cebola.

– *Violetas na Janela!* – respondeu André.

Em seguida, o primo do Cascão contou que o livro é um sucesso, com milhões de exemplares vendidos, e tem ajudado inúmeras pessoas que perderam seus entes queridos, consolando, trazendo paz e esperança.

– Deve ser triste demais perder alguém tão jovem! – lamentou Mônica, pensando nos pais da garota.

– Sem dúvida, mas as histórias do livro são ótimas, Mônica – falou André.

– Ah, você sabe que boas histórias é com a gente mesmo, primo! – falou Cascão.

André, observando o interesse dos jovens pelo livro, propôs repetir a brincadeira que eles faziam quando todos eram crianças, para mostrar como os ensinamentos do mundo espiritual descritos no livro estão presentes nas nossas vidas.

– Aquela brincadeira que fazíamos de contar histórias das nossas férias? Adoro! – falou Magali.

– Eu também! Passeios e coisas legais também valem, né? – acrescentou Mônica.

– Beleza! Vamos nessa! – concordou Cebola.

Assim, a turma se sentou toda animada no sofá, como fazia antigamente, e começou a contar suas aventuras.

— 1 —
O DESPERTAR

AMônica, com seu espírito de liderança de sempre, decidiu ser a primeira.

– Uma vez, o **Do Contra** me chamou pra conversar, e...

– E*spela*! Vai falar dele aqui? – questionou Cebola, nervoso.

– Não fique assim, Cebolinha! – acalmou Mônica.

– Cebola! É Ce-bo-la! – disse o careca.

– Você nem me deixou terminar! – falou Mônica, que continuou. – Naquele dia, choveu muito e não saí com ele...

– Humpf! – resmungou Cebola.

– O início das minhas férias foram o "ó do borogodó", por causa de um resfriado terrível – lamentou Mônica. – Como eu não melhorava, minha mãe pensou em me levar ao hospital!

– Todas as suas amigas ficaram superpreocupadas, a Sofia, a Dorinha e até a Denise – recordou Magali.

– Eu nunca tinha ficado tão ruinzinha. – acrescentou Mônica.– Acordei meio zonza, num lugar estranho e vi que era um hospital.

Foi aí que André lembrou-se do início do livro e contou:

– Olha só que interessante! A história da Patrícia começou meio assim. Ela também acordou bastante sonolenta, em um lugar diferente.

– Ô, louco! – falou Cebola.

– O lugar lembrava um hospital, com grandes paredes claras. Olhando ao redor, reconheceu que usava um lindo pijama azul. E, mesmo percebendo que aquela não era a sua cama, ainda assim não sentiu medo – continuou André

– E onde ela estava? – perguntou Magali.

André contou que Patrícia se fez a mesma pergunta e pensou:

**"Onde será que estou?
Estou sonhando ou desencarnei?"**

– Mas se ela estava de pijama, estava viva, né, André? – afirmou Magali.

– Sim e não. Ela estava viva, mas do lado de lá da vida, pois despertou num hospital do mundo espiritual – esclareceu André.

– Fantasma de pijama? – balbuciou Cebola, imaginando a cena com o Penadinho.

– Sim, mas Patrícia logo viu à sua frente um senhor risonho que a observava. Seu nome era Maurício.

Cebola, então, interrompeu a conversa e disse:

– André, lembrei que, quando soube que a Mô estava com febre, fui visitá-la imediatamente.

– Quando abri os olhos, você foi a primeira pessoa que vi. E você foi tão gentil... – suspirou Mônica – Cuidou tão bem de mim, e até me levou flores.

– Ah, Mô... foi só uma lembrancinha – disse Cebola, meio sem jeito.

– Ssshhh! Ô, pessoal, vamos deixar o primo continuar a história – pediu Cascão.

E André contou que Patrícia conversou com um espírito chamado Maurício. Ele disse que cuidaria da garota no além, pois era amigo do seu pai. Em seguida, a jovem escutou uma voz que disse carinhosamente:

"Patrícia, filha querida, dorme tranquila. Amigos velam por você. Esteja em Paz."

– Ouviu uma voz? De onde? – perguntou Magali.

– Era a voz do pai dela, que vinha da Terra – respondeu André.

– Hein? Mas como a voz dele chegou no além, primo? – perguntou Cascão.

– O pai dela estava fazendo uma oração por Patrícia e seu pensamento foi tão forte, que chegou até o outro mundo, como uma voz! – explicou André.

Continuando, André contou que Patrícia ouviu mais uma mensagem do seu pai:

> "Calma, esteja tranquila diante do desconhecido, procure conhecer. Nas dificuldades, ache soluções. Pense em Jesus."

Nesse momento, Mônica recordou de outra coisa:

– As visitas me animavam, mas os médicos disseram que eu precisaria ter muita força de vontade para melhorar.

– É bom contar com os amigos, e é essencial ter a vontade de melhorar – disse André, citando uma frase do livro:

> "Vontade está no desejo. E devemos educar nossa vontade."

– Primo... não entendi bem: a garota chegou a se recuperar? – perguntou Cascão.

– Sim, lá no outro plano! Mas é importante ter em mente que o cuidado dos pais e amigos, tanto aqui na Terra, quanto no mundo espiritual, ajudam na nossa recuperação. – respondeu André. – Os amigos são um grande tesouro.

– Com certeza! E o maninho aqui ganhou mais um ponto no coração da dentu... quero dizer, da Moniquinha! – brincou Cascão, deixando o Cebola envergonhado.

— Cara, lembra daquele dia que fomos acampar perto da Vila Abobrinha, com o Chico Bento? – lembrou Cascão. – Tudo parecia bem até que "alguém" falou sobre um plano! Aff! – lamentou Cascão.

– Qual foi o plano dessa vez? – perguntou André.

– Falei para tomarmos banho na lagoa antes de chegarmos. Íamos mandar um U*atizápi* pro Chico encontrar a gente lá. Estava muito quente – contestou Cebola.

– E o Xaveco ainda avisou: "Cara... isso não vai dar certo! Já está muito tarde, está escurecendo." – lembrou Cascão. – Mas acabamos indo.

– E algo ruim aconteceu? – perguntou André, novamente.

– Só o óbvio! A gente ficou sem sinal do celular e se perdeu – respondeu Cascão.

– E... só por curiosidade... Você entrou na lagoa, Cascão? – perguntou Magali.

– Agora, eu tomo banho, ué! Não gosto, mas tomo! – recordou Cascão. Por que ninguém acredita?

– Era só pra confirmar – sorriu Magali.

Cebola contou que o pior ainda estava por vir. Com o passar do tempo, e sem contato com ninguém, os meninos começaram a sentir saudade de casa.

– A gente tentava falar com os meninos, mas o sinal estava muito ruim – disse Mônica. – E como não conseguíamos mais receber as mensagens deles, ficamos muito preocupadas – completou Magali.

– Continua, primo. Desculpa a interrupção – disse Cascão.

– Sem problema. Bem, depois, Patrícia recebeu a visita de sua avó, que já havia desencarnado. – continuou André. – E ela estava diferente, mais jovem, bonita, esperta e sem seus grossos óculos.

– Mas, mas... como a avó da Patrícia ficou mais jovem? – perguntou Magali.

– É que, no além, os espíritos podem mudar a forma de seus corpos espirituais como desejarem. Nós, espíritas, chamamos esses corpos de perispírito. Por isso, a avó parecia mais nova – explicou André.

– Que demais! Eu ia poder ficar mais musculoso sem precisar ir na academia – falou Cascão em voz alta, arrancando risadas da turma.

André continuou contando que Patrícia abraçou a sua avó e perguntou pela sua família, na Terra. A jovem estava com muita saudade e queria notícias. Sua avó, então, lhe respondeu que eles, que eram espíritas, estavam bem:

> "O Espiritismo dá aos encarnados o entendimento da morte do corpo. Eles compreenderam os acontecimentos."

– Mas, André, os pais da garota não sentiram falta dela? – perguntou Mônica.

André explicou que sentiram, claro. Todos sofrem com a ausência de um ente querido, e a avó explicou como a família estava lidando com isso:

> "Eles se ajudam mutuamente, com muita compreensão. Fazem de tudo para mandar a você o carinho e o amor que sentem. Um dia, vocês se encontrarão, como agora se encontra comigo."

– Awnnnnn... – expressou Mônica.

— Awnnnnn duplo – falou Magali.

— Snif! Não vou chorar... Snif! Não vou chorar. – falou Cascão, com um nó na garganta.

— Assim, Patrícia ficou mais aliviada ao receber notícias da família – falou André.

Depois disso, Cebola contou o que finalmente aconteceu com eles na tentativa de acamparem:

— Nós ficamos mais animados quando o sinal do celular voltou e recebemos mensagens das meninas.

— Pode crer. Já estava até com saudade – confessou Cascão.
— Aí, o Xaveco ligou pro Chico Bento, que estava por perto e foi resgatar a gente.

— Ainda bem. Entenderam que é natural sentirmos falta de quem gostamos? Se isso acontece aqui na Terra, em uma simples viagem, com os espíritos no além não é diferente – lembrou André. – Afinal, desencarnar também é uma viagem.

— Nossa, foi um alívio quando o Cê e os meninos voltaram bem! – disse Mônica, deixando o Cebola todo feliz.

André, então, lembrou de uma bela frase do livro e finalizou:

"Cada coração que nos ama
é como um lar a confortar-nos."

— **M**inha vez! Quando as férias começaram, consegui fazer um roteiro pra ir na academia, comer alimentos saudáveis e ler um bom livro! – disse Magali, toda contente.

– Magá, você sempre comeu bastante e nunca engordou! – exclamou Mônica.

– Dizem que ela faz pilates! – cochichou Cebola.

– Dizem que ela é Diou... Dioutro mundo! – rebateu Cascão, na zoeira.

André parabenizou a atitude e disse:

– Cuidar do corpo, alimentação regrada e bons pensamentos! Muito bem, Magali!

– Viu, André? Muitas coisas mudaram! – falou Mônica. – A gente pôs em prática o que aprendemos em nossos encontros.

Então, Magali comentou que todas as meninas combinaram de fazer natação pela manhã e, à tarde, dar um rolê no *shopping*.

– A Dorinha até trocou de óculos. – lembrou Mônica.

– E eu achei uma capa de celular com cheiro de melancia – recordou Magali.

– E aquele *jeans* que eu comprei ficou ótimo! Uso até hoje! – lembrou Mônica.

– Meninas, permitam-me continuar com a história do livro, pois acho que tem a ver com seus relatos – solicitou André. – Patrícia observou que, no quarto, havia um armário com sua calça *jeans* preferida e ficou surpresa!

– **Pindalolas!** – exclamou Cebola – Como assim a calça dela foi parar lá?

– Que irado! Fantasmas também usam *jeans*! – brincou Cascão. André explicou que, na verdade, os espíritos vestem-se como querem. Os que trabalham nos hospitais e nas equipes médicas usam roupas claras ou brancas. E leu uma frase do livro:

"Os jovens preferem roupas coloridas e até *jeans*. Só somos educados para nos vestirmos decentemente e não abusar das tonalidades fortes."

– Pensei que todos usavam branco, como o Penadinho! – falou Cascão, brincando.

– As pessoas na Terra pensam que os espíritos só usam branco no além. Talvez porque, em nosso imaginário, associamos o branco com limpeza, com pureza – explicou André.

– Mas, André, agora fiquei curiosa. Como esse *jeans* foi parar lá? – perguntou Mônica.

– O espírito amigo, Maurício, havia materializado o *jeans* – respondeu André. – Ele visitou a casa de Patrícia na Terra e viu que a roupa que ela gostava era aquela. Então, decidiu fazer uma cópia muito parecida e deixou no armário.

– Então, fantasmas podem usar suas roupas prediletas? – ficou na dúvida Mônica.

– Espera, André! Isso é sério? – perguntou Cebola.

Após ouvir as indagações, André continuou:

– Claro que é. E tem mais: no livro, Patrícia viu um banheiro no quarto onde estava e tomou um bom banho quente. Foi o melhor banho da sua vida, quer dizer... da sua pós-vida.

– Ouviu bem, Cascão? Até no além tem que tomar banho! – brincou Cebola.

– Há! Há! Que engraçado! – respondeu Cascão. – Mas... mas... não estou entendendo! Banho?

O primo do Cascão explicou que, segundo o livro, muitos espíritos recém-chegados ao plano superior, ainda mantêm hábitos similares aos da Terra. A própria Patrícia, aos poucos, foi dormindo menos e acordava com fome e sede. Ela até diz que:

"A água cristalina é a maior fonte de energia."

– Sede? Água? – interrogou Cascão, desconcertado.

– Sim, primo! Veja bem, a própria avó de Patrícia recomendou que, todas as vezes que a garota tomasse água, pensasse que estava se alimentando – explicou André. – E ela tomava banho e trocava de roupa todos os dias.

Observando a perplexidade dos jovens, André revelou que Maurício levou uma refeição para Patrícia.

– Comida? Gostei disso! – falou Magali.

– Tipo um *delivery* do além? – perguntou Cascão.

– Eram frutas, pães e sopas de legumes deliciosos, que eram servidos aos espíritos recém-chegados da Terra – comentou André, lembrando de uma frase do livro:

"A alimentação de um adulto
é mais um exercício de prazer do que
de nutrição. Todos os nossos vícios são
necessidades moderadas do corpo,
que nós potencializamos para
ter sensações e prazeres."

– Hummm... Comida do outro mundo! Além de gostosa, deve ser saudável! – brincou Magali, fazendo André e seus amigos caírem na risada.

Na hora do Cebola falar, ele contou da vez que as meninas foram ao parque fazer fotos das flores coloridas, mas terminaram tirando *selfies*.

— Aquele dia estava tão bonito, né, Mô? — lembrou Magali para sua melhor amiga.

— Siiim! E foi a Denise que sugeriu postar as fotos com as flores no **instabram** — informou Mônica.

— E gerou muitas curtidas e comentários! — falou Cascão.

— Até dos meninos... Grrrr! — resmungou Cebola.

— É... o careca não gostou muito — lembrou Cascão.

— Hê, hê! Deu só um ciuminho! — reconheceu Cebola.

— Ciuminho?! — disse Mônica. — Até parece! Você ficou reclamando o dia todo.

Foi então que André interveio:

— Pessoal, lembrei de algo similar que acontece no livro.

— Vai nessa, primo! — disse Cascão.

— Hã? — perguntou André.

— Ah, é pra você continuar, primo. Hê, hê! — explicou.

André contou que, quando Patrícia finalmente saiu do hospital, ela viu um jardim de flores do lado externo. Havia muita vegetação, aves e uma linda harmonia na natureza. E foi aí que recordou que existiam colônias espirituais acima das cidades da Terra. O primo do Cascão narrou a descrição do lugar, nas palavras de Patrícia:

"Observei o céu, lindo, de um tom de azul que não tenho palavras para comparar aos encarnados. À tarde, o firmamento é de um azul maravilhoso, como nunca tinha visto."

– O Anjinho deve vir de lá – pensou Magali.

André contou que a avó de Patrícia levou a garota para conhecer as praças arborizadas e, enquanto ela caminhava, uma ave linda pousou sobre sua mão, sem medo algum.

– Como assim? – indagou Cascão – Aqui, os passarinhos saem voando assim que alguém se aproxima.

– É que, no lugar onde Patrícia estava, os espíritos eram bondosos e não agrediam os bichos. Logo, eles não tinham medo – explicou André. – E Patrícia narrou o que encontrou assim:

> "Os animais, aqui, são amados, protegidos, são amigos. Temos, nas colônias, animais domésticos e muitos outros que ajudam os socorristas. No Educandário, há muitos animais que encantam as crianças. No bosque, há várias espécies, todas dóceis e amigas."

– Aiiii... para os bichinhos, esse lugar deve ser lindo! – suspirou Mônica, lembrando-se do Monicão.

Cascão logo citou seu animal de estimação:

– O Chovinista ia adorar, mas quero ele aqui comigo por muito tempo ainda.

– E tem mais um detalhe – falou André. – Patrícia falou sobre a noite no além, a beleza da lua e das estrelas:

> "As noites nas colônias são de rara beleza. A primeira vez que vi a colônia iluminada, passei horas a contemplá-la."

– Nossa, o lugar era lindo assim? – comentou Magali.

– Exatamente – assentiu André. – A avó de Patrícia contou que o estado de elevação dos espíritos é o que os influencia a ver o alto grau de beleza da criação.

– Sabe... essas histórias sobre paisagens e boas recordações me deram uma ideia – falou Cebola. – Vamos registrar este momento com uma *selfie*.

– Ótima ideia! – concordaram os jovens.

Aproveitando a pausa, Cascão foi trazer o lanche para os convidados. Enquanto isso, a turma pensava nas informações do livro, da esperança de haver um mundo mais feliz à nossa espera. Em especial, para aqueles que se colocam à disposição para o bem.

Para finalizar, André recordou uma frase do livro:

"Só quem aprendeu a amar irradia amor e paz."

A campainha tocou. Marina e Franjinha também foram visitar o Cascão e participar do encontro.

– Que bom! Deu tempo de virem! – falou Mônica.

– Sim, o experimento demorou, mas conseguimos chegar – disse Franja.

– Oi, André! Quanto tempo! – cumprimentou Marina.

– Oi, pessoal! Prazer em revê-los! – disse André.

Após os cumprimentos, Franja perguntou:

– O que estão fazendo?

– Hum, já sei! – intuiu Marina. – Aquela brincadeira de contar historinhas que fazíamos quando éramos menores, né?

– Isso mesmo! – confirmou Mônica.

– Legal! Tenho uma que pode interessar – disse Franja.

– Manda ver! – pediu Cascão.

Franja contou que passou um tempão elaborando um experimento. Tratava-se de um capacete, e quem o colocava na cabeça conseguia enviar mensagens de texto pelo *Uatizápi*.

– Que da hora! – falou Cebola.

– Mas o problema é que enviava as mensagens para a pessoa errada... – confessou Marina.

– Iiihh! Isso pode gerar muitos problemas – falou André.

– Pois é... ainda preciso aperfeiçoá-lo! – justificou Franjinha.

– Hum... Lembrei de algo interessante! – falou André. – No livro, Patrícia foi morar na casa da sua avó, no além!

– Uma casa no além? – perguntou Franja.

– Shhh! Vamos ouvir, turma! – cobrou Marina. – Pode continuar, André.

André contou que, assim que chegou, ao andar pelas ruas da cidade espiritual, Patrícia ouvia uma voz que dizia:

> "Coragem, não entristeça, receba o que lhe oferecem com alegria."

— Mas quem falava isso? — perguntou Marina.

— Era o pai da garota. Suas preces eram tão profundas e claras, que conseguiam sair da Terra e chegar até Patrícia, no mundo espiritual, pelo pensamento.

— Uau, André! É algo similar ao que quero fazer com o meu capacete — afirmou Franjinha.

— O poder do nosso pensamento, quando é sincero e intenso, consegue chegar bem longe — lembrou André.

— Amanhã mesmo vou voltar a trabalhar no capacete! — exclamou Franjinha. — Intensidade de pensamento, era isso que estava faltando para direcionar ao destinatário correto!

André, então, continuou contando que Patrícia parou numa praça arredondada, que descreveu assim:

> "Sentamos e fiquei muito tempo olhando com admiração para um chafariz com formato de uma rosa, ladeada por lindos peixes que soltavam água pela boca.
> A rosa e os peixes parecem ser de plástico duro fosforescente. E coloridos. As cores combinam harmoniosamente. Em toda a praça, uma música suave vibra."

— Muito *show*! — suspirou Magali, imaginando o lugar.

— Nossa, me deu vontade de desenhar isso — disse Marina, puxando seu famoso lápis.

– No livro, quando Patrícia e a avó finalmente chegaram na casa onde elas morariam – disse André – a jovem sentiu-se tão bem como se estivesse voltando ao lar.

Segundos depois, Marina tinha feito um belíssimo desenho de uma praça, com flores incrivelmente lindas, inspirada nas falas de André.

André, então, lembrou de outra frase do livro:

> **"As dificuldades vencidas impulsionam ao progresso. Problemas resolvidos, lições aprendidas."**

– Entendeu, Franja? A beleza e a dificuldade podem nos ensinar muito. Assim como as mais lindas inspirações influenciam a Marina, as dificuldades com seu experimento podem impulsioná-lo para grandes resultados – concluiu André.

— Posso entrar na brincadeira? – perguntou Marina.

— Mas é claro! – respondeu André.

Marina contou que, certa vez, participou de um concurso de aquarela e apresentou seus desenhos sobre vasos e flores.

— As rosas e as violetas ficaram lindas – lembrou Mônica.

— Eu também adorei! – concordou Magali.

— Awnnn! Que saudade de desenhar flores – suspirou Marina.

André interveio e lembrou:

— Meninas, sabiam que o livro tem o nome *Violetas na Janela*, por causa das flores?

— Sério? Conta mais, André! – pediu Mônica.

— Vejam bem – disse André. – Patrícia chegou à casa da avó e, quando entrou no seu quarto, viu a janela aberta com vasos de violetas coloridas. Então, disse:

"Recordei dos vasos de violetas de minha mãe, que enfeitavam os vitrôs de nossa cozinha. Pareciam as mesmas."

— E eram as violetas da mãe dela? – perguntou Marina.

— Na verdade, eram cópias plasmadas – respondeu André. – A avó revelou que a mãe da garota, com saudade, transmitia continuamente seu amor, por meio das flores.

— Que história linda! – pensou Magali. André contou ainda mais sobre a mãe de Patrícia:

> "Ela não esperava sua vinda. Está se esforçando para não prejudicá-la, assim ela canaliza seu carinho e oferta as flores a você. É uma maneira que ela encontrou para demonstrar seu amor. É uma oferta contínua."

— Isso é amor de mãe! — comentou Mônica. — Até bateu saudade da minha.

"Saudade esta que é um amor não satisfeito pela ausência do ser amado." — completou o primo André.

— *Palece histólia* daquelas *sélies* de TV! — disse Cebola, nervoso.

— Ih, agora o maninho trocou tudo — zoou Cascão.

André contou que alguns espíritos conseguem condensar os fluidos do mundo do além para plasmar coisas. Assim aconteceu com as violetas, que vieram até com um recado nelas.

— Um recado? O que dizia? — perguntou Marina.

André respondeu, lendo o texto do recado:

> "Patrícia, quero-a feliz! Amo você! Não desanime, viva com alegria. Que estas violetas enfeitem onde você está, onde irá passar a maior parte do tempo."

— Que lindo! — expressou Marina.

— Patrícia sabia que sua mãe a protegia, que seu amor era sincero, e leu a seguinte frase:

> "Amor de mãe é como um farol
> a iluminar seus entes queridos
> e a perfumar suas existências."

Ao ouvir o fim do relato, uma lágrima rolou dos olhos do Cebola, que nem procurou disfarçar.

– Eu amo muito a minha mãe – confessou Mônica.

Enquanto os jovens lembravam do amor que suas mães têm por eles, André aproveitou para ler um texto que Patrícia escreveu no livro:

> "As violetas encantavam-me, não só
> enfeitavam a janela do meu quarto,
> mas a janela do mundo novo que
> defrontava à minha frente."

Ao terminar, os jovens enxugavam suas lágrimas, pensando na beleza do amor sincero dos seus pais. E foi assim que Marina teve uma ideia. Aproveitou o momento e fez mais um desenho, agora com toda a turma rodeada de belas violetas. Um presente para suas mães tão queridas.

No meio daquela conversa animada, Cebola quis contar uma história: quando a Mônica finalmente cedeu aos seus encantos, graças a um plano infalível.

– Eu não estou me lembrando disso, não! – falou Mônica em tom de brincadeira.

– Desde que a gente era criança, rolava uma quedinha, mas agora se transformou num grande sentimento – admitiu Cebola, arrancando suspiros da dentucinha.

– Ah, você é um fofo! – sorriu Mônica.

André interveio na conversa de Mônica e Cebola contando uma história, de namoro:

– Aqui no livro, também tem um encontro de Patrícia com um jovem médico.

– Um *crush* no além? Que irado! – comentou Cascão, sorrindo.

– A avó de Patrícia apresentou a neta para Frederico, um jovem doutor – contou André. – Ele veio visitá-la e até a presenteou com um lindo ramalhete de rosas coloridas.

– Um espírito galanteador! Olha só! – falou Marina.

– E ele era gatinho? – perguntou Magali.

André sorriu sem-graça e preferiu narrar o que a própria Patrícia achou dele:

> "Achei-o bonito. Seu aspecto é jovem, loiro de olhos azuis-esverdeados. Senti que o conhecia. Foi aquela sensação de 'conheço e não sei de onde'. Senti-me à vontade ao seu lado, conversamos por horas. Convidou-me para ir ao teatro."

– Já foi assim? Chegou, chegando e já convidou pra sair? – perguntou Franja. – Que cara rápido.

– Mas e aí, André, a Patrícia saiu com ele? – perguntou Magali, extremamente curiosa.

André respondeu que sim, e, em seguida, repetiu a orientação da avó para a neta:

> "Patrícia, aqui estão os que se afinam com este lugar. Não precisa temer ninguém nem desconfiar, como, por prudência, fazia quando encarnada. Por isso é que aqui, nas colônias, há tranquilidade e ordem."

– Quero uma avó assim também – pensou Mônica.

Todos riram.

Magali interveio e perguntou: – Então, o amor e os namoros continuam lá no além?

– Sim! – respondeu André. – O amor é a maior força do Universo e continua depois da morte do corpo físico.

– Continua a história, por favor – pediu a Mônica. – Tipo, pra onde eles foram?

– Eles visitaram a colônia, e Patrícia quis saber o que Frederico mais gostava de fazer – respondeu André. – E ele mesmo disse:

> "Em todas as colônias que visito, são os hospitais que me chamam atenção. Fui médico na minha última encarnação. Amo a Medicina. Estou sempre trabalhando nesta área."

– Muito bom saber que as pessoas da área da saúde são importantes em todos os lugares – disse Magali – Acho que serei enfermeira ou veterinária.

– Nossas escolhas profissionais podem ser úteis no mundo espiritual! – falou André.

– Eu espero que um cientista possa ajudar – disse Franjinha.

– E eu que uma artista também possa – completou Marina, olhando pro Franja.

André continuou contando que Frederico levou Patrícia para dar um passeio no *aerobus*, o ônibus voador que existe em algumas colônias espirituais. É um veículo que não polui o ar e vai de um lado a outro nas cidades do além.

– Ainda falta alguém inventar um veículo assim aqui na Terra – falou Franjinha.

– E de lá do alto, dentro do aerobus, os dois viram toda a cidade – continuou André. – No mundo espiritual, todos possuem tarefas e, a cada hora de trabalho, os espíritos ganham um bônus.

– Nossa! Isso é irado! – falou Cascão.

André, então, contou que Patrícia não teve noivo na Terra, e leu uma frase do livro:

"Tudo o que se espera, chega."

– #migasualoka! Se não encontrou seu *crush* aqui na Terra, a esperança não morre com você! – postou Magali. #gosteipostei

– Paqueras fantasmas?! Nunca tinha imaginado – falou Cascão, fazendo a galera sorrir.

— Eita! – gritou Cascão. – Lembrei agora de um dia que foi bem maneiro!

– Pode contar, primo – disse André.

– Eu estava com o careca vendo um vídeo de um famoso...

Cebola interrompeu a fala e continuou:

– Aí, tive um plano pra amolecer o coração da Mônica no aniversário dela.

– Qual era o plano? – perguntou André.

– Fazer um *e-book* dedicado à Mônica – entregou Cascão. – O careca achou que seria uma boa!

– Tecnologia para criar meus planos literários – disse Cebola.

– E deu certo? – perguntou André.

– Então, na hora de escrever a minha ficção, não veio nada na minha cabeça. – lamentou Cebola.

– Mais um plano infalível sem sucesso – brincou Mônica.

– Eu tinha sugerido ir na biblioteca pra buscar inspiração, mas o Cebola não me ouviu – disse Cascão.

Então, André contou mais uma aventura de Patrícia:

– Patrícia descobriu que no além há bibliotecas enormes, repletas de livros. E como ela adorava ler, foi fazer uma visita a um desses lugares.

– Que demais! – exclamou Franjinha.

– Lá dentro, ela reparou que existiam uns livros de estudo para os desencarnados, que só podiam ser encontrados no plano espiritual.

– Sério? – falou Cascão, surpreso. – Seriam livros espirituais ou fantasmais?!

– Puxa, já imaginaram? Ler livros que nunca foram lançados! – externou Mônica.

– Será que tem livros de receitas? – perguntou Magali.

André conteve o ímpeto da turma e contou a impressão que Patrícia teve:

"Legais são os livros que podemos colocar na televisão: o escrito aparece na tela e vamos lendo página por página, graças a um pequeno aparelho adaptado à tela. Não posso compará-lo ao videocassete, é diferente."

– Mas isso é tipo os *tablets* modernos – recordou Franjinha.

– Exatamente! – concordou André. – Mas lembre-se que a garota desencarnou em 1986, quando esses aparelhos ainda nem existiam na Terra.

– Fantástico! – disse Franja, impressionado.

André prosseguiu contando:

"Próximas à biblioteca estão as salas de vídeo, também chamadas de salas de estudos computadorizados ou salas das TVs e podem ser ainda conhecidas por outros nomes."

– *Lan houses* no além! – exclamou Cascão. – Me amarrei!

– E teve algo que Patrícia gostou mais? – perguntou Magali.

– Sim! – respondeu André. – O que mais gostou foi ver em vídeo as obras de Allan Kardec, o genial professor francês que investigou e estudou os espíritos.

– E, tipo assim... O que ela viu na televisão? – voltou a perguntar Magali.

André pegou o livro e leu o que Patrícia disse:

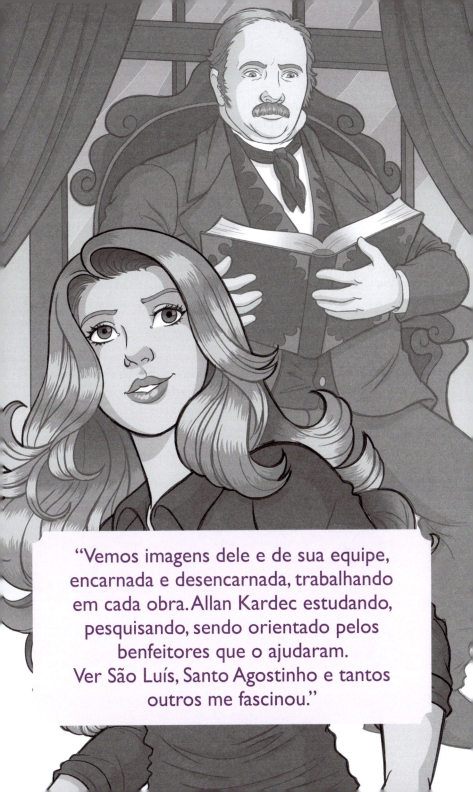

— Que iraaadoo! – gritou Cebola. – Filme sobre espíritos sem computação gráfica.

— Isso que é tecnologia! – comentou Franja. – Contar a história como ela realmente foi.

— Sim, Franjinha! No mundo espiritual, os aparelhos e os avanços da ciência são muito maiores que os da Terra. – confirmou André – E Santo Agostinho deu uma dica muito legal e...

Sem perceber, Cascão interveio. Ele voltou a contar o que aconteceu com seu amigo Cebola, arrasado após várias tentativas de escrever algo.

— Ah, o Careca queria dar um presente diferente pra Mônica – revelou Cascão.

— E como resolveram? – perguntou André.

— À noite, pensei e pensei nos meus erros, e tive outro plano – respondeu Cebola.

— Essa foi boa! – comentou Cascão. – No dia seguinte, o Cebola foi procurar Franja e Marina e pediu ajuda.

Marina fez um desenho da Mônica, estilo mangá, e o Franja desenvolveu uma projeção em holograma.

— E, à noite, projetamos na casa da Mônica – disse Cebola.

— Teve até serenata – falou Magali.

— Eu fiquei feliz! – recordou Mônica, olhando para o seu amado – Adoro você, Cebola! E nunca quero te perder...

— E nunca vai, Mônica! – falou Cebola, que recebeu um beijão inesperado.

— Muito bom, turma! – disse André, já recordando uma frase de Patrícia no livro:

> "Vontade está no desejo. E devemos educar nossa vontade."

– Ei, primo, desculpa... Eu interrompi você – recordou Cascão. – Você estava falando de uma dica...

– Ah, sim! O espírito Santo Agostinho deixou um conselho, que posso resumir assim: "Antes de dormir, reveja o que fez no dia, o bom, o ruim, o que faltou terminar, e se proponha a melhorar no dia seguinte. Isso se chama autoconhecimento".

– Gostei da dica! – disse Cebola.

– E foi mais ou menos o que você fez! – confirmou André.

– Humm.... Isso pode servir pra aperfeiçoar meus novos planos – sorriu Cebola.

Magali lembrou do dia em que todos foram ao cinema, que estava exibindo filmes que foram sucesso de bilheteria e disse:

– Fomos rever o filme do menino bruxinho!

– Esse é meu preferido! – confessou Cascão. – Sempre que a parada fica tensa, eles vão e... Zaz!

– Eu adoro a cena em que eles voam nas suas vassouras nos jogos de *quadribola* – se empolgou Marina.

– Ah, como eu gostaria de voar pelo espaço – falou Franja.

– Humm... Vejo seu grande interesse nisso e, de novo, vou puxar um trecho do meu livro – disse André.

– Opa, conta aí, primo – falou Cascão.

– Num certo dia, a avó de Patrícia estava com uma amiga e a ensinaram como voar e se alimentar melhor – contou André.

– Voar? Como assim? Voar de verdade? – disse Magali. – Com uma vassoura?

– Sim, voar! Mas sem vassoura! – respondeu André. – No além, muitos espíritos conseguem se levantar do chão, levitar suavemente e voar usando apenas o pensamento.

André contou uma revelação que a avó de Patrícia fez à neta:

"Poderá voar quando aprender a volitar. Você encarnada se desprendia do corpo, quando este dormia, e volitava. Você sabe, irá recordar. Vou ensiná-la outro dia."

Mônica então indagou:

– Volitar? Espera, André. Então, quando sonhamos que voamos, quer dizer que...

– Exatamente! Os espíritas creem que os sonhos são as lembranças do que fazemos no outro mundo, enquanto dormimos. E uma dessas coisas é voar. Ah, volitar é como planar, flutuar.

André prosseguiu, e contou a impressão de Patrícia sobre aprender a volitar:

> "Vovó me pegou por um braço e dona Amélia por outro e ensinaram-me a dar o impulso. Tentamos várias vezes, até que dei sozinha o impulso e levantei a um metro do chão. É mais fácil dar o impulso na vertical para depois ficar na horizontal."

– Que parada louca! – falou Cascão.

– E qual foi a sensação dela? – perguntou Mônica.

André contou que Patrícia finalmente conseguiu voar quando estava em seu quarto, e a sensação foi muito agradável. Sua avó a levou para uma espécie de escola, na qual pôde aprender a volitar mais alto e velozmente.

– Imaginei criar um *drone* humano... – pensou em voz alta Franja. – Hê, hê, hê!

– Se conseguir criar, faz um pra mim também – pediu Cebola. – Há, há, há!

Então, André leu o que a própria Patrícia disse:

> "Volitar é como aprender a andar quando se está encarnada, a pedalar uma bicicleta, ou nadar. Depois que se aprende a dominar, você faz automaticamente."

– Ai, ai! Eu já sonhei tantas vezes que estava voando – suspirou Mônica.

– Mas, André, você também falou da alimentação. Conta sobre isso – pediu Magali, curiosa.

– Ah, sim! – lembrou André. – Logo após aprender a volitar, Patrícia matriculou-se naquela escola para aprender a nutrir-se pela absorção dos princípios vitais da atmosfera.

– Coméquié? – perguntou Cascão.

– Deve ser como as plantas fazem: elas absorvem nutrientes do ar, da água e da energia do sol – ponderou Franja.

– Mas como alguém pode comer do ar? – questionou Magali.

André explicou que, na escola citada no livro, os instrutores procuram conscientizar seus alunos de que eles vivem num corpo sutil e que estão desencarnados. Começa-se aprendendo exercícios de respiração, alguns parecidos com os da ioga.

– Hum... Eu já vi na TV pessoas fazendo esses exercícios – recordou Magali.

– Desse jeito, todos vão ficar *fitness* – pensou Mônica.

– Que massa! Se conseguíssemos nos alimentar do sol e do ar, imaginem só a grana que iríamos economizar em lanches? – brincou Cebola, arrancando risadas dos amigos.

— Eita, pessoal! O papo está bom, mas lembrei que tenho uma prova de inglês dificílima – disse Mônica, preocupada. – E não estou nada confiante.

– Ih, nem me fale! – comentou Magali. – Também vou fazer e estou preocupada, Mô!

– Aiiii, Magá! E se a gente não passar? Não quero nem imaginar – lamentou a dentucinha.

– Calma, meninas. Posso contar de uma prova que a Patrícia teve que passar no além? – sugeriu André.

– Uma prova de inglês também? – perguntou Cascão.

– Não, não! Era outra prova, para visitar a sua família na Terra – respondeu André.

– Hã? No além, tem que fazer uma prova pra poder visitar a família? – indagou Cebola.

– Vou explicar melhor – falou André. – Patrícia ficou toda contente ao saber que poderia ver a sua família, depois de tanto tempo. Mas recebeu as seguintes recomendações:

"Lembre-se de que o lar é onde existe amor. O carinho de vocês não acabou. Continua o lar terreno sendo seu, só que não é para morar mais lá. Mesmo que sentir vontade de ficar, não deve. Irá somente visitá-los. É aqui o seu lugar."

– Nossa, quantos avisos! Era só uma visitinha. Um simples bate-volta – disse Cascão.

– Patrícia pensou a mesma coisa, mas sabe o que acontece? – continuou André. – Muitos espíritos que visitam os parentes na Terra chegam despreparados e acabam ficando por lá. A emoção é tão forte que desistem de retornar e continuar sua evolução no além.

– Nossa, e como foi com a moça? – perguntou Magali.

– Os portões da colônia espiritual se abriram e, em seguida, ela viajou até sua casa na Terra, na companhia de espíritos amigos – explicou André.

– Eles usaram o GPS? – perguntou Cebola, curioso.

– Fica quieto, Cê! – gritou Mônica. – Pode continuar André.

– Ao chegar na antiga casa, sabem o que a avó falou? – perguntou André.

> "A porta está aberta, mas se você quiser, Patrícia, pode atravessar a parede."

– Ai, que medo! – falou Mônica.

– Que incrível! Atravessar a parede! – falou Cebola. – Se a gente conseguisse fazer isso, meus planos infalíveis dariam ainda mais certo!

– Mas quem disse que eles dão certo? – perguntou Cascão.

André continuou contando que a mãe de Patrícia estava sentada no sofá, e a jovem foi abraçá-la.

– Mas a mãe viu a Patrícia? – indagou Magali.

– Não, Magali. Mas, mesmo assim, foi lindo! – disse André. – Patrícia descreveu aquele momento assim:

> "Aproximei-me de mansinho, beijei sua mão, seu rosto. Fui pegar nas mãos de mamãe, as minhas atravessaram as dela. Beijei seu rosto devagar, emocionei-me."

– Awnnnn! – enterneceu Magali.

André, então, contou qual foi a sensação de Patrícia:

"Senti vontade de chorar ali na frente de minha mãe, esforcei, levantei e refugiei-me nos braços de vovó."

E logo depois ela saiu voando pelo bairro, muito feliz. A jovem nunca tinha visto sua casa do alto.

– Deve ter sido lindo para ela rever a mãe depois desse tempo – falou Mônica.

– Se depois de uma simples viagem, a gente já fica com saudade, imagina... – disse Magali – Imagina!

– A vida é uma espécie de viagem pessoal – comentou André. – E vejam que Patrícia passou pela prova, visitou a família, retornou e continuou sua caminhada.

– Verdade! Vou estudar muito pra prova de inglês! E vou passar! – falou Mônica.

– É isso aí, Mô! Vamos estudar juntas e arrasar nessa prova! – completou Magali.

– Tenho um livro com dicas que posso emprestar pra vocês – falou Cascão.

– Eu também posso ajudar vocês! – gritou Cebola.

Para agradecer a força e o estímulo dos amigos, Mônica retribuiu com um forte abraço coletivo.

Então, André lembrou de mais uma frase do livro:

"Para quem quer aprender, tudo fica mais fácil."

— 11 —
PSICOGRAFIA

— Agora é minha vez! – falou Franjinha.
— Vamos lá, Franja! – disse André.

– Lembrei do concurso anual de ciência – disse Franjinha. – Eu fui o representante do bairro do Limoeiro.

– Foi incrível! – comemorou Marina. – O Franja tinha criado o "robô feliz".

– E o que ele fazia? – perguntou André.

– As pessoas contavam do seu estado de ânimo e o robô sintonizava uma música para reequilibrar – explicou Franjinha.

– Uau! Mas isso é genial – parabenizou André.

– Por exemplo: se alguém estava triste, o robô tocava uma música para alegrar – explicou Magali.

– Eu ajudei com o visual do robô – acrescentou Marina.

– Eu adorava o robô antideprê do Franja – disse Cebola.

– Foi um sucesso e tanto, mas foi uma pena que não ganhou! – lamentou Marina.

Em seguida, André tentou consolar os jovens com uma frase de Patrícia:

> "Tudo passa; o tempo cura feridas que, embora deixem cicatrizes, não doem."

– Ah, não esquenta, já estou de boa. Hê, hê! – confessou Franja, meio entristecido.

Aproveitando a história contada, André narrou mais uma passagem do livro:

– Depois de visitar sua mãe, Patrícia foi visitar sua tia Vera, que era médium. Ela estava psicografando uma mensagem do espírito Antônio Carlos.

– Psico... o quê? – perguntou Cascão.

– Psicografando! É quando um médium escreve as mensagens que recebe dos espíritos – explicou André.

– Do jeito que o robô do Franja captava? – perguntou Marina.

– Bem parecido! – confirmou André.

– E o que mais aconteceu? – perguntou Mônica.

– Um espírito de nome Antônio Carlos disse para a tia Vera que sua sobrinha Patrícia estava por perto – respondeu André. – E a garota ficou feliz quando soube que poderia deixar um recado.

– Que *top*! Ela escreveu algo? – Mônica

– Sim, a própria Patrícia ditou:

"Aproximei-me mais e a abracei. Ditei devagar e titia foi escrevendo. Foi um bilhete. Mandei abraços, agradeci, dei notícias minhas. Pedi que não se privassem de nada por mim."

– Que da hora! – exclamou Franjinha, imaginando uma tecnologia assim.

E André leu o que a garota disse sobre a mediunidade:

"Explicar o que é ser médium é complicado, ainda mais se partir para o lado científico. Disfunção orgânica? Um dom a mais? A menos? O importante é fazer esta sensibilidade ser útil pelo trabalho."

– E como a tia Vera ficou depois? – perguntou Marina.

— Ela chorou de saudade — respondeu André.

— Nossa, as duas devem ter ficado muito emocionadas — falou Magali.

— Demais! — confirmou André. — Mas, logo, a garota recebeu uma proposta. Quando Patrícia estava na Terra, ela brincava com sua tia médium de trocar pensamentos, por telepatia.

— Sério? Isso é possível? — perguntou Franja.

— No livro, é mostrado que a tia recebia as mensagens que Patrícia enviava telepaticamente — respondeu André.

— Mas continua falando da proposta — pediu Mônica.

— Ah, sim. O espírito Antônio Carlos propôs à Patrícia escrever um livro, devido à grande sintonia que a jovem tinha com a tia.

— Que legal! — falou Cascão — E é esse livro que você trouxe, né, primo?

— Exatamente! — respondeu André.

— Gostei da ideia! — emendou Cebola. — Já tenho um plano pro concurso de ciências do próximo ano.

— E o que pensou, Cebola? — perguntou Franja.

— O robô telepata! Ele vai captar os pensamentos e sentimentos das pessoas e, automaticamente, vai ajudá-las com sua música. Esse vai arrasar! — disse Cebola.

Todos ficaram de boca aberta, diante da inusitada proposta. Afinal, pela empolgação do Cebola, parecia fácil, mas, do lado de cá, ainda estamos distantes disso.

No meio daquela conversa, Magali lembrou de uma sessão de filmes que fez na sua casa.

– Sim, toda a turma foi assistir – confirmou Marina.

– Eu fiz vários tipos de pipoca *gourmet*... e todas deliciosas – disse Magali.

– Mas algo deu errado! – falou Cascão.

– A pipoca queimou? – perguntou André.

– Nada disso – respondeu Magali. – Os meninos pediram para ver um filme de terror.

– Adivinhe de quem foi a ideia! – bronqueou Mônica.

– Esse *ela* um p-plano infalível *pla* nos **diveltilmos**. – tentou justificar Cebola, nervoso.

– E sabe quem foi o único da turma que ficou com medo? – perguntou a Magali.

– Ei! Foi só um sustinho! – alegou Cebola.

– Sustinho, véi? Você teve até pesadelos naquela noite! – lembrou Cascão.

– E de que tratava o filme? – perguntou André.

– Ah, tinha cemitérios e acho que zumbis também – respondeu Magali – Não me lembro bem.

André aproveitou e contou o trecho do livro em que Patrícia visita o cemitério.

– Sério? Mas o que ela foi fazer lá, se já havia morrido? – perguntou Magali.

– É que um espírito amigo falou que era onde seu antigo corpo estava enterrado – respondeu André.

– **Pindalolas!** – exclamou Cebola – Que coisa esquisita!

– Patrícia pensou o mesmo – comentou André.

– Ei, André, ela viu alguém no cemitério? Tipo um zumbi? – perguntou Cascão.

– Viu vários espíritos brincalhões e ociosos, enquanto andava por lá.

– E como eles *eram*? – perguntou Cebola, tenso.

Antes de responder, André contou que a garota gostava, cada vez mais, do mundo espiritual. Ela sentia que sua encarnação havia sido um período de viagem e que agora havia retornado ao seu verdadeiro lar. Logo, ele pegou o livro e leu as impressões dela no cemitério:

> "Fomos andando e fui observando tudo. Sentado no muro estava um grupo de espíritos ociosos, feios e sujos contando anedotas, gargalhando. Não nos viram, só conseguiriam nos ver se quiséssemos. Somos mais sutis, eles veem os que vibram igual na matéria."

– Nossa! – exclamou Cascão.

– E viu algo mais? – perguntou Mônica.

– Sim! Patrícia disse que, logo na entrada, escutou gemidos desesperados que saíam de alguns túmulos – respondeu André. – Acontece que muitos espíritos são inconformados com a morte do corpo e não querem deixá-lo.

– Ai, André, que medo! E o que acontece com eles? – perguntou Marina.

– Eles ficam vagando nos cemitérios. Mas existem espíritos ajudantes, que são chamados de socorristas – respondeu André, e leu uma fala de Patrícia:

> "Vi os socorristas, espíritos que pacientemente tentam ajudar, amenizando os sofrimentos de irmãos imprudentes que amaram mais a matéria perecível do que a espiritualidade."

– E o que fazem com aqueles ociosos? – perguntou Cascão, visivelmente curioso.

Mais uma vez, André leu no livro:

> "Os socorristas também tentam orientar os arruaceiros que estão sempre no cemitério, mas não moram lá. Esses espíritos bagunceiros vão visitar os cemitérios por não ter algo mais interessante para fazer."

– Peraí! A vadiagem transforma esses espíritos em bagunceiros? Do mesmo jeito que rola com tanta gente aqui na Terra? – falou Cebola.

– Exatamente! – respondeu André.

– E a Patrícia chegou a ver seu túmulo? – perguntou Magali.

– Sim, e viu que o local era simples, mas tinha uma mensagem que seu pai havia deixado.

– E o que estava escrito? – perguntou Mônica.

André leu a frase que estava no túmulo:

"Aqui jazem os restos mortais do corpo físico que Patrícia usou para viver e manifestar-se em nosso meio. Saudade".

– Nossa! Tá na cara que o pai da Patrícia gostava muito dela – disse Mônica.

– Muito, muito mesmo – disse André, lendo outra reflexão da obra:

> "Mas o que é a morte, se não uma nova etapa da vida?"

– Do jeito que sou medrosa, eu já teria saído correndo do cemitério – comentou Marina.

– A Patrícia também não gostava de cemitérios – disse André. – Por isso, foi um alívio quando saíram de lá. Se ela não gostava de ir quando era viva, pior agora que estava desencarnada.

– Ah, sou *obligado* a *concoldar* com ela – admitiu Cebola, ainda com medo da história.

– Calma, Cebola. É natural que todos fiquem apreensivos com a realidade da vida depois da morte – ensinou André.

— 13 —
JOVENS NO ALÉM

Era a vez da Marina falar. Ela lembrou do festival de arte e música que a turma criou para reunir fundos, nas vésperas do Natal.

– Fui eu que sugeri o nome do festival: Limoeiro *Live Aid* – comentou Cebola.

– Fundos para quê? – perguntou André.

– Para darmos presentes aos meninos do orfanato – respondeu Mônica.

– Mas que maravilha! Não sabia disso – disse André.

– O Natal estava chegando, e foi um plano que o Cebola bolou pra galera colaborar – falou Cascão.

– Montamos um coral muito maneiro! – falou Marina. – E conseguimos arrecadar muitos presentes pra doar.

– A criançada se amarrou! – lembrou Franjinha. – Esse plano do Cebolinha deu certo.

– Cebola! Cebola! – lembrou o careca.

– Parabéns, turma! Esse festival de Natal me lembrou de algo que está no livro – recordou André.

– Não vai me dizer que tem corais no além, né, primo? – interrogou Cascão.

– E por que não teria? – devolveu André. – A vida continua! Na verdade, nossos corais é que se parecem com os deles. Afinal, nós copiamos as coisas boas do além. Estamos aprendendo sempre. E vocês imaginam como eles são?

– Nem fazemos ideia! Mas pode contar – pediu Mônica.

André comentou que o Natal é lindo no mundo espiritual. E que Patrícia estava curiosa, pois seria seu primeiro Natal lá, e ela mesma descreveu:

> "Jovens e crianças organizam recitais, danças, palestras, encontros para conversar e ouvir músicas. Isto é para que ocupem o tempo e não sintam a saudade dos encarnados, distraem-se suavizando suas próprias lembranças."

– Jovens? – perguntou Mônica.

– Crianças? – completou Magali.

– Sim! Existem espíritos de jovens no além. Afinal, alguns desencarnam cedo, ainda adolescentes ou crianças. E são recebidos com muito amor. Assim como Patrícia – respondeu André. – Nessa festa, eles relembram o nascimento de Jesus e, vejam só, ela recebeu um convite de um grupo de jovens para visitar outras colônias espirituais.

– Uau! Como assim? – se surpreendeu Magali.

André contou que, no além, os jovens iam apresentar uma peça de teatro e cantar. Eles são muito animados e fazem teatro como amadores. Embora, alguns tenham mais talento.

– Será que só tem música brasileira por lá? Teria *k-pop*? – indagou Cascão.

– Há música de todos os países, primo! Canções diversas e com belas letras – respondeu André.

– Que irado! – exclamou Cascão.

– Patrícia disse que havia também jovens espíritos estrangeiros, da Itália, que vieram visitar a colônia espiritual para cantar – disse André.

– Ser espírito tem uma vantagem: não precisa de visto pra viajar. Hê, hê! – brincou Cascão, fazendo os amigos rirem.

– As fronteiras são uma criação humana – falou André. – Os espíritos bons vivem com amor e harmonia, sem barreiras.

– E como é o Natal por lá, primo? – perguntou Cascão.

– No livro, Patrícia o descreve assim:

> **"O Educandário fica todo enfeitado, fazem presépios, enfeitam árvores com luzes e bolas coloridas, lembrando enfeites dos encarnados."**

– Parecido com os presépios daqui – refletiu Magali.

E André continuou, explicando que Patrícia comenta ainda mais detalhes:

> **"Tudo é feito para alegrar as crianças. Trabalhadores vestem-se de palhaço, há jogos, danças e a criançada se diverte."**

– E será que tem *réveillon*? – quis saber a Mônica.

– O livro conta que a passagem de ano é mais simples e, após o primeiro de janeiro, tudo que recorda o Natal é retirado e as coisas voltam ao normal – explicou André.

– Pessoal, bolei um plano novo! – falou Cebola, inspirado – Da próxima vez, podemos fazer um festival ainda maior, com coral, diversas brincadeiras e teatro, pra alegrar mais crianças, incluindo as dos outros bairros. Que acham?

– Awwnn! – disse Mônica, enquanto todos parabenizavam o engenhoso amigo. – Esses são os planos que você faz que eu sempre adoro!

— 14 —
BONS PENSAMENTOS

— **E**u quero contar uma – disse Mônica. – Do dia em que ganhei um *smartphone* novo.

– Opa! Então foi só felicidade! – falou André.

– Eu também pensei, #sóquenao! – disse Mônica.

– O que houve? – perguntou André.

Cebola interveio:

– Uma menina invejosa, assim que soube da novidade, começou a postar mensagens ofensivas no perfil da Mô.

– Ai! Aquela garota! – gritou Mônica, nitidamente brava – Só de lembrar... humpf!

– A garota postava mensagens dizendo que a Mô tinha espinhas e que ninguém gostava dela, nem sua BFF Magá – falou Cascão.

– E o que você fez, Mônica? – perguntou André.

– Eu falei pra ela parar, mas não adiantou – respondeu Mônica. – O pior é que ela até tentou me fazer um ciuminho com o Cê! Aaarrgh!

– Ela só ficava provocando a Mô! – lamentou Magali.

– Hum... E conseguiram resolver? – perguntou André.

– Então, denunciei e bloqueei o perfil dela, e pronto – respondeu Mônica. – A garota parece que sumiu.

– Foi sugestão minha – disse Magali. – Amigas são pra essas coisas, *baby*.

– Isso me fez lembrar mais uma passagem do livro – comentou André.

– Como assim? Alguém enviava mensagens pra Patrícia? – perguntou Mônica.

– Não é bem assim... – respondeu André – Na companhia de seu amigo espiritual Maurício, Patrícia foi fazer uma nova visita para sua família. Ao chegar em casa, ela levou um susto: ao lado de sua mãe, havia um espírito perturbador.

– *Sélio*? Digo, sério! – perguntou Cebola, nervoso. – *Bullying* fantasmagórico.

– Véééi! Que sinistro! – espantou-se, Cascão. – Tipo daqueles que vagavam no cemitério?

– Parecidos, mas aqueles só vadiavam. Este parecia ter outras intenções – disse André.

– Ai, que medo! E como ele era? – perguntou Magali.

– Patrícia descreveu que era feio, sujo, com cabelos e barba crescidos, olhos verdes grandes e olhar cínico – respondeu André. – E ele a olhava fixamente, rindo, sugerindo que tentava incutir na mãe a ideia de que sua filha estava sofrendo.

– Ai, meu Deus! E o que o espírito falava para a mãe dela? – perguntou Marina.

André respondeu, lendo como está no livro:

"Patrícia sofre no Umbral. Está infeliz, a sua filha. Chora chamando por você.
Que lhe valeu ser boa, ser espírita? Isto não impediu que ela morresse. Ela sofre!"

– Que malvado! – disse Magali. – Conta logo o que aconteceu depois, André!

– Patrícia sabia que os desencarnados não podem fazer o que compete aos encarnados, mesmo amando-os – explicou André. – A mãe dela sabia lidar com esses irmãos infelizes. Ele falava, mas escutava também. E ela poderia responder e orientá-lo ou simplesmente não lhe dar atenção.

– Coitada da mãe dela! Já não bastava sofrer com a perda da filha, ainda tinha que ouvir isso! – reclamou Marina.

– Mas como isso terminou? – perguntou Mônica, curiosa.

– Patrícia se sentiu impotente, mas teve uma ideia – respondeu André, que leu o que estava no livro:

"Pensei por segundos, só sabia neutralizar forças nocivas com orações. Era o bastante. Concentrei-me e orei com fé para este irmão. Ele inquietou-se e saiu rápido da nossa casa. Aproximei-me de mamãe, falei a ela. Mamãe, sou feliz! Não dê atenção àqueles que a querem perturbar. Amo você"

André comentou que, após a prece, a mãe sentiu-se bem melhor. Ela mudou seu pensamento e imaginou que sua filha deveria estar feliz.

– Ah, agora saquei o *link* com a história que a Mônica contou: a Patrícia e a mãe viram que era só bloquear o que não fazia bem! – disse Cebola.

– Exatamente! Com a nossa mente, podemos bloquear os maus pensamentos, que só nos perturbam, e escolher sintonizar com as boas ideias – comentou André.

– Muito legal, primo! – comentou Cascão.

– Ou seja, somos sempre livres para escolher o certo! – disse André, e finalizou com uma frase do livro:

"Aquele que faz a lição que cabe a outro, impede-o de aprender."

— **B**om, turma, adorei rever vocês. Essas horas que passamos juntos me fizeram voltar no tempo em que todos eram crianças. Mas está chegando o momento de partir – avisou André – Pede um carro pra mim pelo aplicativo, primo?

— Aaaahhh! – todos reclamaram.

— Fala sério, primo! – bradou Cascão. – Ainda é cedo!

— Mas olha o lado bom! Enquanto estávamos conversando, vocês nem lembraram de pegar o celular – lembrou André.

— Claro! Quando a conversa ao vivo é boa, a gente fica conectado aqui e se desliga do mundo virtual – respondeu Cascão, enquanto todos caíam na gargalhada.

— Mas dá tempo de contar algo mais do livro? – pediu Mônica.

— Essa obra tem muitas histórias lindas e incríveis, mas vou contar mais uma para finalizar – concordou André.

— Ótimo! Conta, conta! – disse Magali.

— Uma vez, Patrícia recebeu um convite para fazer um curso no além, que ela sempre sonhou em fazer – falou André.

— Hein?! Os espíritos precisam estudar? – perguntou Cascão.

— Sim, primo! – respondeu André.

— Imagina as salas de aula do além?! – provocou Cebola.

Enquanto todos riam, André contou que Patrícia iria morar temporariamente no setor residencial da escola, onde ficam os estudantes, para obter mais conhecimentos do plano espiritual.

— Mas... o que tem no curso? – perguntou Franjinha.

André leu o conteúdo do estudo, conforme está no livro:

> "Este curso tem como objetivo instruir os desencarnados sobre como viver espiritualmente e conhecer tudo, as colônias, postos de socorro, o Umbral, ver os trabalhos espirituais junto a encarnados etc."

– O jovem médico Frederico seria um dos professores de Patrícia – informou André.

– Puxa, primo, então eles estudam pra valer! – falou Cascão, ainda sem acreditar.

– Sim, Cascão – esclareceu André. E ela mesma descreveu sua sensação ao entrar pelo portão:

> "Viera para estudar, e como aprendiz, isto fazia me sentir diferente. Estava curiosa para saber como seria este estudo tão falado."

– Ela estava ansiosa? – perguntou Mônica.

– Muito! E também animada, pois quando estava encarnada já tinha ouvido falar desse famoso curso – respondeu André, que, aproveitando a pergunta, leu a fala de Patrícia:

> "O que realmente estudaria? Que iria de fantástico ver e conhecer? Emocionei-me. Meu coração batia apressado."

– Que legal, André! Acho que captei a lição dessa história da Patrícia: estudar é sempre valioso – sugeriu Magali.

– Sim, foram muitas lições – disse Mônica.

– Mesmo depois de tanto tempo sem nos vermos, vocês continuam me conhecendo bem! – falou André, contente. – É isso mesmo! A vida continua e o amor sobrevive sempre!

E André concluiu repetindo uma frase do livro:

> "Para ser útil com sabedoria é preciso conhecer."

— Primo, o carro que pedi, acabou de chegar – avisou Cascão.

Em seguida, André abraçou todos os jovens com o carinho de sempre, e falou:

— Quero que vocês me vejam sempre como um bom amigo. Daqueles que procuram abrir as portas do conhecimento para mostrar a importância da vida, de valorizar essa viagem que fazemos aqui na Terra. Que fala do cuidado que devemos ter com o nosso corpo, que é um instrumento Divino, de darmos valor aos seres que amamos, que estão ao nosso lado. E, caso eles tenham partido para o outro mundo, mostrar que haverá o reencontro, pois a vida continua.

— Ai, André, que mensagem linda! A gente que agradece! Volte mais vezes! – despediu-se Mônica.

Depois das despedidas, André entrou no carro e partiu. E, quando a turma se deu conta, viu que ele havia "esquecido" o livro *Violetas na Janela* ali. Mônica, Cebola, Magali, Cascão, Marina e Franja se entreolharam, sorriram e entenderam o recado.

FIM